KB171727

친구 아니면 선물

책달구지

지은이 이능누(李凌樓) (gieomson@yahoo.com)

20대에 시를 많이 쓰고 불태웠는데, 20여 년 후 시집을 내리라고는 전혀 생각도 못 했었던 이. 시집보다는 그 시집과 운명을 같이 하리라고는 전혀 생각을 못 했었던 이. 노트와 펜을 가슴에 얹은 채 잠에 드는 것을 보아하니 그 운명이 지속할 것 같다는 이.

시집 「시로 뽀개다, 죽음」「시로 뽀개다, 깨달음」「시로 뽀개다, 센스」「명상시 선집」

번역 「나는 행복을 원하지 않습니다」「당신은 그것이다」「일원론 임파워먼트」

<u>친구 아니면 선물</u>

초판 발행일 2023년 12월 12일 /
저자 이능누 /
펴낸곳 책달구지 출판사 /
펴낸이 이정혜 /
주소 대구시 수성구 무학로 45 /
전화번호 053 764 4489 / 팩스 0504 0234 489 /
홈페이지 checkdalgooji.tistory.com /
전자우편 checkdalgooji@gmail.com /
등록 제2020-000016호 /
ISBN 979-11-91092-16-5

친구 아니면 선물

CONTENTS

서문 & 서시

뒷대목 그의 어머니

序

왜 친구 아니면 선물인가?

세상엔 두 가지가 있는데, 친구와 선물이. 세상엔 버릴 것 하나 없으니, 둘 다 고맙고 고맙다. 왜냐면 내가 고맙게 이용할 것이니까. 내 손아귀 안에 넣어 주무를 것이다. 오른쪽 주머니엔 친구들을, 왼쪽 주머니엔 선물들을. 친구와 선물의 차이는 그리 크지 않다. 헷갈려도 크게 문제될 것 없다. 나 아닌 것들을 순간의 감정에 따라 친구로, 또는 선물로 가벼이 나눌 수도 있기에, 그래서 세상 살기 참 쉽다. 주머니가 두 개라 굳이 나누자면 그렇고, 다루는 방법도 약간만 다를 뿐이다. 선물 주머니에 넣더라도 기분 상하지 않는다. 얼마든지 친구 주머니로 옮겨질 수도 있으니까. 비록 친구에 다다르지 못한 선물이라도 친구로 될 가능성이 충만되어 있다. 하나는 부정적이고 다른 하나는 긍정적인 것이 아닌, 모두 긍정적인 것들이다. 나를 둘러싸고 있는 모든 것이 진행 중 아니면 도달이다.

언니와 어머니는 누구인가?

만질 수 없는 것들이 힘을 발휘한다. 모르는 사람과 하나 되는 과정에 언니와 어머니가 있다. 언니 겸 어머니인 그 브로커는 많은 이름을 가지고 있다. 다양한 이름을 지녀서 동일한 것인 줄 잘 모르기도 하지만 역할이 똑같다. 모르는 사람과 나는 근본적으로 같다는 것을 가르쳐 주는 브로커 역할을 언니와 어머니는 하고 있다. 언니와 어머니를 하나의 단어로, 산스크리트어로 말하자면 아트만이 되겠다. 만져지지 않는 언니와 어머니는, 아니, Atman의 다른 이름들은 이 우주에서 가장 큰 힘을 지녔다.

별別 이분법에 관하여

전후의 시간이 두 가지를 낳고, 두 명이 하나에 각자 두 개의 이름을 지어 주고, 결국은 형태가 사라질 때, 하나가 되는 두 가지의 별 이분법.
일반적인 이분법의 두 개 사이에 본질적으로 교집합이 없어야 한다. 공통점이 없을 때 두 가지로 나누기가 쉽다. 그런데 기실, 최소 백그라운드 정도는 같이 공유하고 있으며 관찰자도 같이 공유하고 있다. 두 가지의 가장 밑바닥과 가장 윗부분에 있는 공통된 것들이 아래, 위를 막고 있으며 일원을 이루게 양쪽에서 누른다. 결국 찌그러져 본래의 하나로 회복된다.

본 시집에는 기출간 전자책 「명상시 선집」을 통해 22년 발표된 시 50수가 뒷 대목에 배치되어 있고, 23년 새

로이 선보이는 시 50수가 앞 대목에 실렸다. 아래, 「명상시 선집」의 서시序詩로 본 서문을 마무리한다.

명상

감각을 멈추고
생각을 멈추고
의식이 확대된다

만나기 위해
더욱 의식적으로 의식

가장 아름다운 사람과의 만남을
조용히 눈 감고 앉아 주선

나를 뺀 그 둘을 내 안에서
명상이 가져다준 의식으로 만난다

명상에게 물어봐야겠다
내가 중매했는가?
나의 의식이 중매했는가?

앞 대목

그녀의 언니

그의 이유[1]

왜 사냐 건 웃지요
가 더 이상 아니다

지금 죽어도 아무 여한 없는 사람에게 왜 사냐면
그저 잘 살 수 있다는 이유뿐

죽든 말든 상관없는 나
가장 잘 살 수 있기에
어떻게 살든 최고의 삶일 것이기에
더베스트TheBest를 놓칠 이유는 없어

그래서 살지요
왜 사냐 건

친구 아니면 선물2

선물 아닌 것 없거나
친구 아닌 것 없거나
무조건 둘 중 하나
에 걸리고 마네

진행 중 아닌 것 없거나
완성 아닌 것 없거나
무조건 둘 중 하나
에 걸리고 마네

질투의 약3

질투하고 있네요, 부러움을 넘어
시기는 안 했지만, 아직
전 멀었습니다, 아직
행복하기 글렀습니다, 아직
저 자신이 이래 못났기에
불행해졌습니다
행복의 자격을 못 갖추고 있기에
질투의 독배를 마시곤
사랑할 에너지도 사라졌습니다
해독제를 마셔야겠는데…

질투에 중독되지 않기 위해
살기 위해
사랑할 수밖에요
그 한 가지 방법으로 살아남을 수밖에요
그 독극물에 해독제는 한 가지
사랑 밖에요

이 안에 내가 있지 않고[4]

이 안에 내가 있지 않고
이 밖에 내가 있다

안을 들여다보았는데
내가 없고 밖에 있네
안에 가둬진 난 나이지 않고
내 밖에 내가 있어

저 대양보다 더 큰
모든 바다보다 더 큰
것
그것이 나이네

그렇게 나는 가리워져 있네
모든 것을 품은 채

오늘5

왠지 낯설다
처음인가?
오늘과 같은 날 수도 없이 많았지만
진짜 오늘은 오늘밖에 없고
내일엔 다른 오늘이 올 거고
오늘과 같은 날은 오늘이 처음

오늘의 오늘만큼 가치 있는 게 있을까?
오늘의 오늘만큼 고마운 게 있을까?
오늘에게 약속한다. 너를 버리지 않을게
내일이 되면 네가 그립도록
오늘을 살게

아이러니6

평범하지만 그 가운데 평범하지 않은
하나 있다면
평범해서 회색을 좋아하지만, 그 가운데 평범하지 않은
하나 있다면
아무도 회색 같은 평범한 색을 좋아하지 않는 점

평범해서 나룻배가 가는 대로 가지만 그 가운데 평범하지 않은
하나 있다면
아무도 나룻배를 타고 있지 않아
나 외에 아무도 찾을 수 없다는 점

가장 평범한 것을 찾았는데
아무도 없어서 나만 튄다
가장 튀는 것은 회색이었다

시간7

빅뱅 이후 쪼그라들고 있는 우주
이 우주의 마지막은 빅뱅
이 빅뱅은 파멸과 탄생이 만나는 시간
우주는 죽어 우주가 될 것
빅뱅과 빅뱅 사이에서

순례자의 에너지8

순례자는 어디로 가는가?
같은 곳으로 돌아오는 순례자는 순환
내가 태어났던 곳으로 돌아가는 순례자는
오늘도 움직인다. 돌아가려고 움직인다

평생을 도는 순례자
성스러운 지구에서
걸음 하나하나가
돌아가는 발걸음
점점 가까이 가고 있다. 같은 곳으로
어디에 있는지 모르지만, 그곳을
향해 날마다 순례한다

그럼, 다음에 뵈어요[9]

다음에 안 볼 것 같은 사람도
꼭 다시 만나게 되어 있어
난 모든 이 앞에서 설렌다

다음엔 무슨 인연으로 만날지
꼭 다시 만나게 되어 있어
새로운 관계에 설렌다

영원한 헤어짐은 없어
꼭 다시 만나게 되어 있어
슬퍼하지 않아도 된다니 설렌다

또 볼 예정인데
지금의 추억 아름답게 꾸며야지

또 볼 예정인데
더 잘해 줘야지

보완10

나를 채우기보다 세상을 채우기
세상을 비우기보다 나를 비우기
나와 세상은 대적하지 않고 보충을 하는데
나의 보완은 세상으로부터
세상의 보완은 나로부터
따로 할 것 없고 동시에 이뤄지는
하나

현재성이 현재에게[11]

가르침이 있었다
현재성이 현재에게

현재는 아무것도 모르고
눈만 멀뚱멀뚱

지가 있는 건 알겠어도
지를 모른다

현재성이 알려줄 위치에 있어
한 소리 하는데

현재는 없고 현재성만 도처에 시시각각 있다고
과거에도 현재성만, 미래에도 현재성만

응, 맞아
시간도 없어
네가 없는 만큼

양손12

나의 균과 너의 균을 같이 섞어
나물무침을
쌍수의 나물무침을

최고 손맛은 내 손의 것과 네 손의 것이 만나 창출
만남의 시너지의 맛을

역시나 블렌딩이 최고지
내 손과 네 손이 없으면 무슨 맛으로 먹나?

후회할 것 없다[13]

오늘 간식을 많이 먹었다
아니, 저녁을 미리 먹었다
보아하니 오늘 공복에 잠들겠다

오늘 낮잠을 많이 잤다
아니, 오늘 밤 것 미리 잤다
보아하니 오늘 밤 새겠다

오늘 하루 갈아 먹었다
아니, 죽음을 하루 연장했다
보아하니 스트레스가 하루 댕긴 게 아닌
여유가 하루 늘여 놓은 것

오늘 하루 X를 했다
아니, 반대로 Y를 한 것
보아하니 후회할 게 아니었다

판정은 끝까지 유보하고 유보하고
선택만 제때제때

만남의 '만'자도 없었다[14]

우리 만남에 '만'자도 없었다
시작 않고 만났고
하여 헤어짐의 시작도 없었다

만남의 시작과 헤어짐의 시작
없어도
우리 만나 좋았다
언제 만났는지 모르고 언제 헤어졌는지 몰라
더 좋았다

설계자의 재설계15

지금까지 내가 선택한 운명
보다 더 재미진 운명이 있을 터

지금까지 걸어온 마이웨이는 너에게 주고
새로운 운명을, 새로운 나를 유얼웨이에서
고르고 골라 운명을 체인지

재미나게 새로운 운명을 설계해 본다
설계대로 운명이 나아가지 않을지라도
설계해 보는 이 운명의 맛
너의 운명 겸 나의 운명을

늦잠16

늦잠으로 인해 어두컴컴한 지금이 한낮
일어나고 몇 시간 안 지났다

태양의 에너지 안 받고
내 속에서 에너지를 만들어 힘을 내야 한다
내일까지 쭉 이어 나갈 힘을

태양에게서 끌어오지 않을 것이라
비타민 D도 호르몬도 내가 알아서 책임진디

오버 슬립의 기운으로 못 할 것 없다
달 기운도 필요 없고
달거리가 이상해져도 상관없다

늦잠으로 24시간의 사이클에서 탈피
한 달을 24일로 줄이고
결국
한 달에 일주일씩 젊어진다
24번의 긴 늦잠으로

그래, 다 가져가라[17]

정당하다면
나는 나의 모든 것을 주겠다
내 것이나, 네 것이나

쫄딱 제로는 인생의 멋진 장식물
풍요만큼 멋진 장식물
하나도 없이도 난 잘 살 수 있어

어떠한 것도 다 대비해 놓아
내 인생은 어떠한 것으로도 멋져 부리

그래, 다 가져가도 된다
쫄딱이는 다 대비해 놓았다

상상, 그 이상의[18]

내 상상은 이뤄져선 안 되고
상상을 얕잡아 보는 것 이뤄지어라

내 상상을 얕잡아보고선
상상을 비켜 가라

비겨 간 것은
내가 상상할 수 없는 그 이상의 것

상상, 그 이상의 상상은
내 상상을 뭉개 버리고서
나를 뭉개 버린다

상상은 안 이뤄지고 대신
상상을 비켜난 것 이뤄져
내 상상을 얕잡아보는
그 비킴, 상상보다 파괴적이었다

내 꿈을 팝니다[19]

나누면 나눌수록 커지는 꿈을 팝니다
사셔유, 사이소, 사랑께요

배고픈 배는
거품 가득한 꿈으로 부풀어 올라가노니
꿈 사세요, 꿈 사세요

경쟁에 경쟁을 더해서
누구 하나 죽을 터
그 누구를 먹고는
배 터질 터

내 꿈을 팝니다
꿈 사세요, 꿈 사세요

환영20

원하는 것은 이루어진다
환영의 도움으로

그 원하는 것을 눈앞에 두고
손을 내밀어 잡았는데
공기만 잡힌다

원하는 것은 이루어진다
잡을 수 없을 만큼만
딱 그만큼만

니나 내나[21]

가장 큰 자산은 현대
내가 이룬 것 아니고 선조로부터 물려받았다
선조는 현대를 안 줬지만 받고 보니 현대

만약 내가 옛날에 태어났었더라면
가장 큰 자산은 가문이었을

그보다 더 옛날에 태어났었더라면
가장 큰 자산은 위도였을

가문 상관 없이, 위도 상관없이
웰빙의 가장 큰 이유는 너와 나의 현대성

원시 시대, 난 원시적이었지만
무명의 노예로 현대에 목숨 걸어 놓고
다름을 차별 않고
니나 내나 할 수 있기를
최신 문명에 기대 해 본다

자유인22

하기 싫은 것을 하지 않기 위한
오직 하나의 이유로
자유인은 하고 싶은 것을 포기

둘 다 취할 수 없고
하나만 하는
하프 자유인은 풀 자유인

댄스, 댄스23

일원론과 이원론은 싸우지 않는다
서로 만나 잘 얘기해서 타협하는데

우선은 이원론이 나선다
그리고 어느 정도 크면 일원론을 등장시키기로

이원론이 밭갈이하고
일원론이 결실 지어 마무리

자연이라는 하나는
두 가지 이름을 붙여서
생명을 만들고 생명은 춤을 춘다

다른 파트너 하나를 붙잡아
댄스, 댄스
혼자 못 추는 댄스를
댄스, 댄스

추분 여르미, 뜨신 겨우리[24]

하늘에 기도하는 대신
내 몸을 가지고서
알아서 맨들재

몸 온도를 가지고
계절을 주무르재

몸을 찹게, 추분 여르믈
몸을 뜨겁게, 뜨신 겨우를

내 앞에서 계절이 나자빠 삐릾다
하모, 계절은 안 관리, 몸은 잘 관리제

나의 시작[25]

나의 시작은 마지막에 다가온다
아직 시작도 안 했다
난 살아 살아 마지막에 도달
바로 그때가 바로 나의 시작

도돌이표를 만나 처음으로 빠꾸하는데
그건 혁명, 이어 진화는 계속된다
처음과 끝이 만나는 곳에서

과거를 잃어버린 혁명가는
진화를 끊지 못한다
도돌이표 앞에서

최고의 성장26

실패
이어 실패
또 실패
이번에도 실패
다음에도 실패
실패로 마무리

그리고 뒤로는
키가 자라고 있네
벌써 훌쩍 커 버렸네
실패 한 번에 한 뼘씩

이제 실패 데이터를 가지고 이용할 때가 왔네
이번에 실패하면 참 실패

꿈꾸지 말고[27]

꿈꿔 이뤄지는 게 아니고 기획하여 이뤄지는 신비의 기적
신비로운 인생을 신비롭게 해줄 신비로운 기적을
더 이상 신비롭지 않게 계획하고 기획

인생은 기적을 몰래 꼭꼭 숨겨 놓기에
기적을 생산하는 인생, 더 이상 이상하지 않다

기적을 드러내고자 하는 신비로운
인생은 기적과 커플

기적 없는 꿈 젖히고
기적이 들어간 기획으로 뒤덮는다

무의미한 카르마[28]

더 이상 살 필요 없었던 그
지금 죽어도 아무 상관 없었던 그
축복의 한가운데서 마감을 할 수 있는 그
그는 과정 중
언제라도 그만둘 수 있는 과정
필요 없는 과정, 이유 없는 과정이라
의미 없는 카르마의 모든 방해 공작을 피한다
이 세상에 자기 소유물 제로라 카르마조차도 달아나 버렸다

왔다리, 갔다리[29]

거기서 난 천국과 지옥을 오갈 거야
싫증 나는 대로 노마드처럼 떠날 거야

여기서 천국과 지옥을 넘나든 경험
최고였지

염라대왕께 떼를 쓸 거야
두 군데 다 간다고

프리패스 못 받으면
난 자살할 거야

지구로 돌아와 천국과 지옥을 여전히
번갈아 다닐 거야

자유인으로서
노마드로서

초인30

날이 섰다
독을 품었다

보통 대장부의 보통의 기氣보다 2X
보통의 애미가 아니다
억척을 넘어 초인이 되기로

광주리에 오십 근 넘게 이었다
미간을 안 찌푸리고 웃으며

행상은 아무나 하나
엄니만 한다

초인은 아무나 되나
행상만 된다

결과가 어느새 원인하고 있다31

성공은 결과에 있지 않고, 실패는 결과에 있지 않고
둘은 과정 안에서 맛볼 수 있는 것

성공도 결과 아니고, 실패도 결과 아니고
결과는 원인으로 전환 다음을 이어 연결
어느새 저쪽에서 원인하고 있네
결과를 하나도 찾아볼 수 없네

성공이 원인으로 되어, 실패가 원인으로 되어
둘 다 희미해졌다
원인이 똑같아
둘의 구분이 사라졌다

하나의 원인을 이끄는
두 가지 과정
성공과 실패는 똑같은 과정

행운아32

옆에서 막 울고불고 난리가 아니지만
아직 말을 못 해 전달이 안 되네
그래서 마음으로만 전한다

울지 마세요, 얼마나 기쁩니까?
자연의 이치를 거슬러
태어나 며칠 동안
얼굴도장 찍고
우리 만나 참 좋았습니다

뱃속에서 죽어야 했던 나
날 꼭 보고야 말겠다는 이가
불러내어 보는 데에 성공
행운 아닌가요?

원래는 불가능했지만
며칠 동안 저도 바깥 구경 잘했습니다
볼일 다 보고 떠나는 지금도 그래서 행운아인 건 맞습니다

열린 새장33

문 열린 새장에 갇혀 문도 소용없고 열림도 소용없고
새 중의 새, 파랑새에겐 허나 희망이 있다

허나 희망은 열린 문 못 보게 하였고
파랑새는 허나 희망으로 하여금 스스로를 가두게 했다

새는 새장에 살고 허나 희망도 새장에 살고
파랑새는 허나 희망 때문에 집 떠날 생각 없다

허나 희망에게 파랑새는 새장을 관리케 하고
열린 문 스스로 열 줄 모른다

열린 문에서 힐끔 새어 나오는 빛
허나 희망에 가려져 있다

까꿍이 아니고 따꿍이대이[34]

인생은 따꿍
산다는 것은 따꿍 따기
한 번에 잘 안 열려도 상관없째
어쨌든 열어제끼는 것, 꼭 제거할 미지

따보면 꿍하고 나올 것 같은
신비의 인생
기대 만만 땅땅

인생의 구조는 따꿍 구조
여르라고 만들어진 걸 가지고
살고 살아 제끼 부리

함 따 보자, 뭐가 있을랑가?
알 수 없는 인생은 따 봐야 알 수 있는 기라
안 열고 살면 그거이 인생이 아닝기라
불가능한 건 더 따야재

폭력의 사랑35

사랑에 이유가 있다면
사랑의 폭력

사랑에 원願이 있다면
사랑의 폭력

사랑에 결과가 있다면
사랑의 폭력

폭력 아닌 사랑, 그런 사랑
기억이 안 된다

폭력인 사랑, 그런 사랑
죄다 그런 기억

비폭력의 그런 사랑
아직 없었다

쌍둥이36

대칭과 대칭이 만나
서로 통하는지
웃으며 악수했다
공통점이 너무 많음을 직감
마치 쌍둥이 형제를 만난 것 같아

맞다. 엄마가 같지
진짜 형제잖아
서로 보색을 지녔지만
엄마가 같다

밤에 태어나고 낮에 태어나서
첫째의 이름은 음
둘째의 이름은 양

음과 양은 공통점이 많아
서로 반대된다고 못 느낀다

한계37

닮아도 너무 닮았다.
특히 원형이
틀린 부분도 많이 있지만
양이 그렇고
질에서 쏙 빼닮았다
근원이 같으니 뭘

부모는 자기와 비슷하게 자녀를 생산
우리는 어쩔 수 없이 부모를 닮았다

왜 그랬을까?
자기 아닌 딴 걸로 만들 수 없는 한계가 그렇게 했을까?
신이 가진 한계라면 그 하나일까?

나비야, 나비야[38]

나비야, 나비야
어서 날아가거라

호랑나비, 흰나비
춤을 추며 나가라

이른 새벽 농약 칠 때
하필 이때 날아온 너

나비야, 나비야
농약 맞아 뒈질라

호랑나비, 흰나비
어서 멀리 비켜라

결과와 원인 사이[39]

나는 무엇의 산물인가?
이 지역의 결과인가?
이 시대의 결과인가?
다른 곳, 다른 때에 태어났더라면 어떠한 나일까?
만약 변함없는 나를 만든다면 바로 원인으로서의 나이겠지
선택해야 한다면 바로 그 하나이겠지

나는 루저로서이다[40]

더 이상 위닝을 안 할 거라는 루저
위닝이 필요 없다는 루저

루저가 맞기는 한데 좀 이상한데
내가 원하는 카테고리의 루저이다
내가 원하지 않는 모습으로 안 된, 한 편으론 성공한 루저

아마 선택했기 때문이리라
위닝의 반대를 선택했기 때문이리라

위닝이 자신에게 더 이상 의미 없어
위닝을 선택 안 한 결과로 성공적으로 루저가 되었으리라

자발적 루저는 아니지만
루저가 뭐 어떠냐며 개의치 않는 이
원했다는 그 카테고리는 일반 대중의 큰 카테고리이지 않다
완전성을 달성한 아주 희귀한 카테고리로서

무엇을 줬길래?[41]

가장 큰 걸 받아 온 건
이유가 있겠지
가장 큰 걸 줬겠지

뭘 주고 그걸 받아 왔느냐?
네가 그리도 원했던 것을 줬겠지
가장 크게 원했던 걸 건네 줬겠지

슬픔의 자리[42]

슬픔이 들어올 공간이 없다
슬픔이 들어오려면 내 행복을 먼저 거둬 내야 하는데

어라, 덜어낼 행복을 못 찾겠다
행복의 자리가 나에겐 없었던 것

행복이 없는 자에겐 슬픔의 자리 없어
행복도 슬픔도 나에게 오지 않네

행복을 거부한 자의 특권
동시 진행을 아는 자의 특권이다

성공한 피해자43

야망의 피해자
세팅의 피해자
줄 세우기의 피해자

피해자가 되길 희망했고 이에 성공
초조와 안달을 피할 수 없게 되었으나
앞줄에 섰다고 헤헤한다
헤헤와 헤헤 사이 불안이 충만하다

프로젝트44

나를 불태워 줄 가격은 겨우 얼마 안 된다
그치만, 이것도 아끼고자
타기 전 급, 과격 다이어트
장작값 일할一割 아끼겠다고 만반의 준비
그 준비가 다 되면
장작 싸게 사 놓고
호주머니 속 일푼一分까지 다 없애고
일생 중 가장 가벼이 그 위에 누워야지

부조리와 신통방통45

부조리는 꼭 필요한 것 아니지만, 항상 따라다니고
신통방통도 꼭 필요한 것 아니지만 항상 따라다니고
항상 있어야 하는 것처럼 부조리는 자리 뜰 줄 모르고
무조건 있는 것인 양 신통방통은 인생에 출몰한다

게네 둘은 내 인생의 동반자
혹시 게네 둘이 쌍둥이?
어쩐지 닮았더라

노비의 행복46

행복을 주고 자유를 빼앗는다
이제 행복하니? 묻고는
그렇다고 하면은 슬쩍 지유를 슬쩍한다

예전에도 노예였지만
확실히 노예로 도장 꽉
요번엔 자기가 문서에 싸인했다. 행복한 노비가 되겠다고
노예의 행복은 단순하고 좁아서 주기 쉬었다

얕은 행복, 가짜 행복을 선택한 자는
자유가 사라진 줄 모른 채
목이 갑갑히고 발목에는 발찌가 채워져 있지만
행복한 자로서 마음이 평화롭다고 한다

집 말고 날개[47]

잎사귀 대신 받은 이 새로운 몸짓
날개와 하나 되어 가출
잎사귀를 떠난 건 확신 때문

잎사귀는 더 이상 나의 집이 될 수 없다는 것
나의 집은 잎사귀 밖이라는 것
잎사귀 없어도 난 살아갈 것이라는 것
나와 잎사귀의 운명은 끝났다는 것
저 하늘 위 어떠한 것도 보이지 않는 데로 가야 한다는 것

날개가 없어 내가 날개로 변신해야 했고
집이 나였던 나는 집을 벗어 던져 결국 날개가 되었다

내 발은 짝짝이[48]

짝짝이 발 숨기려 일부러 비 짝짝 양말 신을 필요 없고
짝짝이 발에 맞춰 짝짝이 양말을 신어
티 나는 걸 숨기지 않는다

이에 걸맞춰 다른 것들도 튀게 만드는데
양말이 튀는 것은 튀는 것도 아닐 정도로

짝짝이 발이 아니더라도
짝짝이 양말 걸치는 이 있는데
나는 과하게 복 받은 것 같다
비대칭의 미를 알아보는 눈까지 과하게 복 받았다

술과 시, 아니, 눈물과 시[49]

시를 쓰겠다고 술을 사 왔지만
그래도, 그건 안되지
주작酒作의 시를 쓸 수 없잖아

너에겐 눈물이 있는걸
실명으로 가는 녹내장 진단 받고
타온 인공 눈물 많잖아

눈물 흘리면서 시 쓸 수작水作 훨 낫지
눈은 이왕 베린 거
술로 장기 하나 또 베릴 순 없지

눈물 실컷 짜고
이윽고 펜을 들 게다
눈에 나쁜 컴 말고

그녀의 언니, 그의 어머니[50]

난 그녀를 안다
난 그를 모른다
아는 이의 언니, 모르는 이의 어머니
이 둘은 동일인
따로따로이지만 동일인
그녀와 그를 만질 수 없지만
충분히 파동이 전달되어
언니의 역할, 어머니의 역할이 가능했지

그녀와 그는 한참 달라도
언니와 어머니의 입장에선 그렇지 않아
아는 이든, 모르는 이든, 그렇지 않아
결국은 언니와 어머니가 하나이듯
그와 그녀도 하나가 되지
언니와 어머니가 그렇게 만들었지

뒷 대목

그의 어머니

성공인51

A가 일어나든
非 A가 일어나든

B가 되든
反 B가 되든

죽어도 상관없는 이
무서운 게 없다

A도 내 것 아니고
B도 내 것 아니고
어떠한 후과도 내 것 아니고

성공인은 신의 노예가 아니다
성공인은 결과의 노예가 아니다

신과 함께[52]

시간으로부터의 자유
공간으로부터의 자유

현대성을 잃은 현대인
한국인 아닌 한국 국적자

시간을 차지하지 않고
공간을 차지하지 않고

세상을 찾지 못하고
세상과 관계 맺지 못해
떠도는 떠돌이

부정을 부정
제약이 떠나가고
귀속감, 소속감 없이
홀로 자유롭다

나의 짝, 세상을 여읜 신과
한바탕 춤을 출 일

결과에 도달할 수 없는 우리[53]

끝 없어 종결할 수 없다
시작하면 멈출 수 없다
우리를 어디에도 명상은 데려다 줄 수 없다

결과에 도달할 수 없는 우리
명상의 맛은 일상과 다르지 않아
끝없는 명상을 체험하게 된다

일상에서 꾸역꾸역
밝히고 밝힌다
스스로가 감춘 비밀들을

누가 누가 더 큰가?[54]

내 앞에 만물과 만인이 있지만
곧 히나가 될 것인지라

문제는 나의 그릇
모든 것 결국 하나에 담기는데

우주가 담기고도 넉넉해야
우주가 들어와 넉넉히 앉을 것

그릇으로서의 나
우주와 맞대어 조금이라도 더 커야지
넉넉지

탈피55

나는 죽었고 이 몸을 딴 사람이 가져가 버렸다
딴 이를 만난 김에
내 옛 몸 가지니 어떠냐고 물었다
좋아할 줄 알았는데 그저 그렇다고 하네

맞다. 몸뚱이가 뭐라고
좋아하면 이상한 거지

좋지도 않은 그것을 줬는데
슬퍼할 것도, 손해도 없다
기실 귀찮아했었지
관리에 신경도 덜고 기실 후련하잖아
몸 없이 순수해졌고 좋잖아

감사56

내가 죽어 누가 태어난다면
이 아니 고마울까?

죽음은 탄생의 기원
이 삶은 누구의 죽음이 이뤄낸 것
태어나 기쁜 바
원인인 누구의 죽음에 감사하다

어느 누가 태어나고
난 저승에서 기뻐할 터이
원인이 될 나의 죽음에 감사히

좋은 것 멀리하기를 가까이57

그저 그런 게 어때서?
꼭 우수월감을 맛봐야겠니?

충분하다
그저 그런 것 가까이해도 충분하다
굳이 좋은 것 추구할 필요 없을 정도로

그러다가 몸이 축나고 시간과 에너지를 낭비
그저 그런 것에 대한 열등의식은
경쟁이 준 함정
어쩌면 넌 죄 없는 경쟁의 희생양

좋은 것을 멀리하면 알게 될 거야
좋은 것 없이도 삶은 풍부하고 풍부한 것을

나를 이끄는 것은 무엇인가?58

나의 계획을 세웠다
그 계획 뒤에 있는 내 욕망

누구의 계획을 세웠다
그 계획 이면에 있는 누구의 욕망

내가 그 누구로 되어
내 계획을 치우고
누구의 계획을 가지고 와서
그 계획 아래에 있는
내 욕망 아닌
누구의 욕망으로
나는 진행된다

마음이 뭐라 카든동[59]

마음은 마음
내는 내

마음은 내캉 같이 잘 나댕긴다
근디
마음을 응시하는 내는
고놈과 동일시할 수 없대이

마음의 레벨을 우로 넘는
내
마음의 주관자로서
논리로 저 짜식을 맞서재
따뜻한 친구처럼 조언해 주고
마음이 어데 가면 목덜미 땡기 잡아 말리기도

마음이 다 내다 카지 마래이

복제품60

개인은 세상에 맞서고
非개인은 세상을 불러 복제시킨다

대척자 없애는 非개인은
눈에 보이는 족족 오라고 하고는
자신의 것을 나누어 자신이 되게 한다

너와 난
非개인의 복제품
홀로 있지 못하는, 복제된
세상의 단편 조각들
하나로 연결된, 결국은 똑같은 非개인
너와 난

신성한 사원61

왜냐면 사원은 내 안에 있기에
난 사원 밖에 있다

바라보고 기도할 곳은
사원이 있는 그곳

종교의 기원도
내 안의 사원

신성하고도 신성한 자리
명당은 내재해 있어
신성을 떠날 수 없는 운명

난 밖에 있지만
안에 가지고 있어서
기도의 방향을 못 잃겠다

혼자 추는 군무[62]

개인은 개인이 아니고
전체의 부분이면서 전체이라

내가 한 일을 나눠도
내 것을 나눈 것 아닌 전체가 흩어지는 것

전체를 벗어날 수 없는 개인
아무리 달아나도 전체가 자기 것으로 속하고야 마는 개인

혼자 춤춰도 독무가 아니고 군무
나의 독백은 우주의 메아리

내 카르마 같은 것 없고
우리 카르마를 내가 일부 취하고 있는 걸

네 카르마와 내 카르마는 동일한 것
동일한 카르마를 분담하고서

방향과 귀결63

내가 들어갈까? 그것들이 나에게 들어올까?

세상 만물에 침투하기 위해선 내가 만개로
세상 만물이 나에게 침투하기 위해선 하나로

多를 위한 多되기?
多를 위한 一되기?

둘 중 하나 고르라면
多와 一의 관계로 하자, 더 역동적인

수많은 젖줄이 하나의 대양에 흡수되듯
나, 가장 큰 대양이다
나, 앞에서 모든 것이 스며든다

만물이 하나로 귀결
나에게로 향한다

이곳이 고향인 이방인64

늙은 소녀
그리고 결혼 안 한 아줌마

결혼한 총각
그리고 꼬마 아저씨

어느 카테고리에도 속하지 않는
비 귀속인

나?

그래, 무채색의 중간자
아닌 적 없다

아기였을 때 아기임을 거부
모든 정체성을 태어날 때부터 여의어
인간의 탈을 벗었다, 얼굴이 없다
차고 댕기는 몸은 자기 것 아니란다

나만의 색깔65

그리 못나지 않아, 잘나지 않아 사랑스럽다
색깔, 그저 그런 게 최고

그저 그런 나의 색
그리 튀지도 그리 예쁘지도 않다

그 색은 날 특별한 감정으로 넣지 못한다
평상의 감정을 유지케 해주는
나의 개성

사랑할 이유도, 미워할 이유도 없는
나의 독창성을 떼어내기 힘든 나
하여 대신 공유한다
나중에 회색으로 변하든 말든
무한대로 채도를 빼내고

세상에서 사라질 것이다
개성을 여의고, 색깔을 여의고
내가 없는 세상, 채도 제로의 투명한 나로

평범하다 못해66

아무것도 아닌, 특정 소속과 직책
없는 보통보다 더 평범
그저 그런 날 어떻게든 소개할 수 없다

아! 맞다, 이 세상에서
가장 별것 아닌 사람
가장 평범한 사람
으로 소개하면 되겠다

어떤 것으로도 정의할 수 없는 나
없는 사람보다 더 안 보이니
정말로 나는 아무것도 아닙니다
평범도 저에겐 과분한 것 같습니다

특별한 자, 평범하게[67]

모든 사람 특별한데
인생은 보통

보통일 수 없는
비범이 감춘 평범

오직 하나의 길
비범의 길은 모두의 운명

특수 인들이
평범해 보이는 인생을 보인다

특수성이 잘 안 드러나게
비범하게 안 드러나게

평범할 수 없지만 평범해 보이는
특수 인들의 보통 넘는 인생

강물도 놀라고, 나도 놀라고68

강물이 안 흘러도
안 흐르는 강물도 있다면
나는 쉽게 강물에 들어갈 수 있겠다
그런데 문제가, 내가 흐르네
들어갈 때마다 변화하는 나
강물은 나를 만날 때마다 다른 나를 맞이한다
그새 난 몰라도 강물은 안다
첫 번째 나와 두 번째 나의 차이를
강물은 다른 나를 만나게 되어 있다

서로서로 달라진 서로를 만나
달라진 강물에 내가 놀라고
달라진 나에 강물이 놀란다

더블로 변화
그리워할 사이 없다
되돌아볼 사이 없다

엮어져야만 하는69

눈을 감으면 사라졌다 뜨면 다시 나오는 나
눈을 감지 말라고 부탁했다

날 쳐다봐 주는 그이
그이 없이는 1초도 견디지 못하는 나
사라졌다가도 그이의 눈동자를 통해 다시 나온다

홀로 존재하지 못하는 나
생명 하나 찾아서 내 방에 모셔다 놓고
반사된 그이의 눈동자 안에서 온전해진다

실체는 없고 느낄 수만 있는 나
두 가지 사이에서 얽히고 얽힌 관계였다
손에 안 잡히고 눈동자에 잡히는 나

과정인70

멈추면 죽는 과정인
도달하고는 또 시작해야 하는 과정인
결론 없고 과정만 있는 과정인
종착역에 죽음이 없음을 아는 과정인
되돌아오는 자리에 또 오고야 마는 과정인
반복의 이유가 숙명인 과정인
반복하다 속도가 빨라져 시간을 놓치게 되는 과정인
없는 시간과 동일 공간 이동에 의미를 부여하는 과정인

안 늙고 존재하는 비밀71

시간은 순간 속에서 멈추고
순간 안에 시간 없다

시간이 못 흘러가는 순간 안에서 살 때
시간을 못 태운 채 인생은 간다

흐르는 인생 안에 순간은 인생을 안 타고
매번 시간은 멈추고 매 순간 사이클도 정지

이는 안 늙고 존재하는 나의 비밀
반복 없는 인생, 순간 안에 있다

운전수72

나를 데리고 이리저리 끌고 댕긴다
내가 거기 간 건, 운전수가 데리고 가 준 것
이윽고 운전수는 다음 행선지로 간다고 한다
O.K. 마부님
운전수가 가는 데로 가야죠
내 길은 운전수에 달렸으니

정신 깜빡 놓았다가 운전수의 운전 놀음에
휘말려 완전 끌려다니니 주의
정신 똑바로 차리고 운전수 너머의
가는 길을 주시해야 한다
최소한 내가 어디 가는지를 알고 있어야 하지 않는가

해안 도로로 가라고 운전수에게 말해 보련다
만약 안 되면 다시 프로그래밍하고
노트북을 들고 뒷자석에 앉아야겠다

반복의 구속73

자유가 없다
반복한다
자유가 있다
반복 안 한다

자유가 없다
사이클에 휘말려 있다
자유가 있다
사이클에 밖에서 관찰한다

자유가 없다
충동에 의한다
자유가 있다
의식에 의한다

자유가 없다
반복을 못 깬다
자유가 있다
반복을 부순다

경이74

차를 안 박은 것, 사건이다
차를 박은 것, 사고이다

사고가 안 나면 사건
사건이 안 나면 사고
둘 중 하나는 필수

내가 안 죽은 것, 사건이다
내가 죽은 것, 사고이다

사건이 안 나면 사고
사고가 안 나면 사건
이거 아니면 저거

경이 아닌 것 없다
박든 안 박든
놀라움은 끊이지 않는다
죽든 안 죽든

경이 속에서 벗어날 수 없는
언제나 거시기한 너

내일 죽을라 카믄 저래 못 살지[75]

내일 죽는다 카는 심정으로 살아야지예
내일 죽을라 카는 사람은 저래 살 수 없지예
백 살 넘어 살랑가 싶어가 슬슬 산다 아입니꺼

우짜든동 내일 죽을라 카는 것처럼
오늘이 마지막이라 카는 것처럼
살아야지예

내일 디지도 개않은 건
슬슬 살아도 될 만큼 오늘 아침에 도를 들은 거고

다 못 산 사람은 슬슬 못 살지
아까운 게 아니라, 미련 때문에
딴 사람들을 보고서라도 저렇게 살 수 없지예
비교한 결과서 나온 미련 때문에

내일 죽을 예정76

행복의 추구는 결핍에 의한다
행복을 추구 않는 자, 부족함이 없다
마치 내일 죽을 예정인 사람처럼

이렇게 많은 옷, 이렇게 많은 신발[77]

이생으로 충분치 않다
다음에 또 태어나 이 많은 옷과 신발을
마저 사용혀야겄다

이렇게 많은 옷, 이렇게 많은 신발
이렇게 많은 나의 업보
내 어깨를 누르는 짐을
다음 생애에도 이어지겄다

예약된 다음 생은
옷과 신발 때문 아닌
나 때문이겄다
나가 모닶으니

박탈감78

두 발로 걸을 수 있는 사람, 박탈감 느낄 수 없지
하루 세끼 먹는 사람, 박탈감 느낄 수 없지
머리에 머리카락 있는 사람, 박탈감 느낄 수 없지
선진국에 사는 사람, 박탈감 느낄 수 없지

박탈감 느낄 거리 못 찾아
이분법 없이 살 수밖에
비교감 없이 살 수밖에
피해의식 없이 살 수밖에

제대로, 2배로[79]

받은 양 잘 재어 최소 2배
더
되갚기

1을 태어나 받았으면
2를 세상에 돌려준다

2중에 1은 시체로
나머지 1은 살아생전에

육체는 자동적으로 지구에 돌려주게 되어 있으니
닮지 않는 것으로 유산을 남겨야

이놈이 사는 법으로 특허 하나 등록시키고
나머지 1을

총 2배로, 제대로 갚아야지

선물80

아차피 주어진 시간을 때워야 하지 않겠는가
아픈 몸, 장애로 가장 하고 싶은 것 할 수 없었고
그래서 대체재를 찾기 시작

알고 보니 내가 하고 싶은 것보다 매력적인 것
너무 많아 골라서 지금 하고 있다

아픔과 장애가 준 선물 덕택에
내가 좋아하는 것 하며
더 이상 시간 때우지 않는다

아파도 상관없고
이제 진통제도 필요 없다
하고 싶은 것을 하는 대신 선물로 받은 더 매력적인 것을 할 터

좋은 것은 혼자서 즐긴다81

혼자서만 할 수 있는 여행
고독으로의 여행
최고의 즐거움
최고의 단신 모험

나하고만 따로 내면으로 같이 떠난다
아무도 같이할 수 없는
외롭지만 외로울 수 없는
인생 필수 여행을
고독하게 무조건 한다

좋은 것은 혼자서 즐긴다

무식82

마법과 기적이 너무 많이 일어나다 보니
마법과 기적을 모르고 산다

삶이 재미없어졌다
삶을 몰라 삶이 재미없어졌다
무식한 게 이유

마법과 기적의 바다 한 가운데서
헤엄을 치지만 바다를 모른다
파도를 안 타고 헤엄치는 무식인

아는 만큼 즐기는 바닷사람은
무식한만큼 요술을 못 부린다

지난 생애 못다 이룬 꿈을 찾아서[83]

아무, 과거에 살았던 사람 중
괜찮은 이의 괜찮은 꿈을
들고 와, 나에게 선물

그 아무의 지난 생애 못다 이룬 꿈
함 도전을

내 꿈 보다 더 매력적인 나무 꿈
대신 이룰 테야
그 괜찮은 이는 나로 인해 다시 살아날 테야
그 괜찮은 꿈으로 다시 태어날 테야

힘든 만큼 성장 안 하니까 알아서 해84

아파도 되지만
오히려 아픔은 생존에 도움도 되지만
힘들어하지 마

아픔은 고통과 별개거든
힘든 만큼 성장 안 하니까
아프기만 아프고 끝
그걸로도 충분

아프다고 다 힘들지 않아
힘든 이유 따로 있으니
굳이 힘들어할 건 아니고
정 어려우면 시차를 두는 것도 트릭

바보야, 문제는 심금이야[85]

머리에 힘을 주는 바보짓
이제 안 하련다
마음을 울리는 짓만
이제 하련다

머리에 맞는 것보다 가슴에 맞는 것이 훨 아파라
가슴 후려치는
둥둥 잘 치는
둥이가 되련다

나의 울림과 너의 울림
마음의 울림이 정답

목숨을 버리고 삶을 구하라86

삶을 위해 살지어도
목숨은 아니 하다

삶 안에 목숨 없고
목숨 안에 삶 없다

거리가 멀수록, 따로 놀수록
삶을 구하고 목숨을 버린다
삶에 애달할 뿐, 목숨에 안달 않는다

큰 차이로 인해
삶이 삶다워지고 목숨은 사라진다

미래87

시시각각으로 새 삶을 살기
근데 이 능력이 나에겐 없다
흐리멍텅한 뇌와 몸 때문이 아니다
지난 과거가 발목을 잡고는 안 놓는다
새 삶을 과거가 방해하니
과거 보고 제발 날 떠나달라 하니
과거는 한 가지 조건만 있다고 했다
미래 계획서 들고 오면 자기가 떠나겠다고
그러고 보니
시시각각의 새 삶은 미래에 달렸지
기억과 과거나 날 붙든 게 아니었다
플래너를 겨드랑이에 끼고 맞이할 수 있는
새 삶
간단히 맞이할 수 있었건만 몰랐던
과거를 잃은 미래
발목의 과거는 잊고
발판의 플래너를 통해 미래를 받기다

함 막아볼까나?88

단 하나의 예외로
삐딱하게 있기
일반화의 오류를 생산하기
안 하던 일 찾아 새 일 하기
변종, 변이되기
뒷구멍 까발리기
다가올 문제를 예방하기
아무도 없는 곳에서 혼자 있기

어깨동무할 동무 하나 없지만
막을 것 혼자서 잘 막잖아, 방해자 없이

연장사89

수명을 늘인 자
죽음을 미룬 자
천천히 사는 이유라네
오래 살 것 뻔한데
위험하게 지를 여유 없다네
천천히 안전하게
넣은 연금보험 불려 빼먹을 수 있게
야금야금 질식
미뤄도 표 안 나는 질식사
빨리도 오네

신비주의들90

인생은 검은 터널
가장 귀티 나는 색을 인생은 지녔다

미묘한 맛의 인생은
자기를 신비롭게 가리고 도도한 자세로
우리를 맞이

검은색의 인생에게 인사 후
이제 그의 비밀을 하나하나 풀기 시작한다

신비주의들끼리 대결
서로서로 까발리기다
명명할 수 없는 색깔을 지닌 나, 너 못지않게 오묘하거든

촉수91

신의 감수성으로 뭘 하려고?
높은 민감도로 신경쇠약 안 걸릴 자신 있어?

그렇다면 특수한 촉수를 머리에 꽂아 줄게
흡수력 짱인 대신, 넌 더 이상 자유인 아니야.

크디큰 촉수를 어깨에 메고는
모아져 오는 신호 다 감당해야 해

스스로가 구속에 드는 대신
어느 누구보다 밝아야 해
자발적인 만큼 즐겨야 해
촉수보다 무거운 신호를 짊어지고서

풀린 나사92

우선, 시간을 깬다
다음, 요일을
나아가 모든 주기를 부순다

금일의 1시는
명일의 10시가 되고

금주의 월요일은
내주의 금요일이

당월의 1일은
내월의 10일이 되어

나사 풀린 지구는
태양계와 바이바이

자유 행성으로서
자유 비행하며
태양과 맞먹게 되었다

삶이 그대를 속일지라도[93]

삶이 그대를 속일지라도
그대는 삶을 속이지 말라
그대는 그대도, 아무도 속이지 말라

삶이 그대를 속일지라도
그대는 삶을 끌어 안아라
그대는 삶을 책임져야 하노니

삶이 그대를 속일지라도
그대는 삶을 위로해 주어라
그대는 삶을 포기해서는 안 되노니

삶이 그대를 속일지라도
그대는 삶을 적대하지 말라
그대는 삶에 더 귀 기울여 주어라

선순환94

소박하고 라이트한 밥상
을 자의 반, 타의 반

노동 겸 운동
을 자의 반, 타의 반

있는 것만 있는 알뜰한 살림
을 자의 반, 타의 반

미니멀 라이프의 이상적 삶
을 자의 반, 타의 반

내가 쓸데없는 짓할까 봐
돈은 나를 피해준다

선택할 수 없었다95

A, B, C, … 세계에선
난 아무것도 선택할 수 없었다
A를 선택하면 나머지를 부정 내지 차별할 터이니

A, A', A'', … 세계에선
난 아무거나 눈감고 고른다
전부 A의 한 종류이니
비 선택의 나머지에게 미안할 것 없다

난 빠져나올 세상과 들어갈 세상을 가지고 있다
두 가지 세상이 주어져 있지만
나의 선택은 하나
종교 없는 세상

헛발질96

네가 최적화되었을 때 깨달음이 알아서 올 것
네가 수용성 100%일 때 사랑이 스스로 방문할 것
네가 접수 능력 되면 스승이 네 방문을 두드릴 것
네가 평정하게 되면 명상은 네 안에 자리 잡을 것

때를 만났을 때에야 찾아오는 건
추구할 것 아니고 준비하고 기다리는 것
조바심 없이
그리고 나중엔 당황 않을 것
충분히 익은 자에게 어쩌면 당연한 것

공감97

같은 것을 찾아야, 우선은
잡아야 한다, 보이지 않지만
느껴야 한다, 감지되기 어렵지만

모든 생명을 하나로 관통하는 그것
똑같은 근원을 가지고 얼라인먼트

공감은 전부를 바꾸었다
내가 달라지고 세상이 달라진다

갈라져 있는 너와 나
사이 모든 차이는
인위였다, 순간적인

채널 하나 더[98]

더 많은 교감을 위해
채널 하나 더 개설

무의식 하나 파서
더듬이 하나 만들고
동물과 대화

의식의 수면 위로
촉수 하나 추가
식물과 대화

마지막 남은 무의식 긁어내어
채널 하나 더
XYZ와 교감

무의식 사라지고 충만된 의식으로
세상이 되리

그게 그거99

분리는 분리가 아니고
각도의 변화였다
흰색과 검정색 분리될 수 없고
각도에 따라 달리 보이는바
그게 그거

분리는 분리가 아니고
각도의 변화였다
여자와 남자 분리될 수 없고
시간에 따라 달리 보이는바
그게 그거

분리는 분리가 아니고
시간의 변화였다
어제와 내일 분리될 수 없고
시간에 따라 달리 보이는바
그게 그거

분리는 분리가 아니고
시간의 변화였다
너와 나 분리될 수 없고
각도에 따라 달리 보이는바
그게 그거

알맹이도 가라[100]

껍데기도 아니고
알맹이도 아니고
네가 하는 그 어떤 것도 중요하지 않아
난 네가 뭘 하는지 궁금하지 않아
너의 출생 및 주변은 더욱 궁금하지 않고

작업보다 알고 싶은 게 있어
재미있게 작업하니?
힘들지만 보람된 작업이었니?

뭘 하는지 보지 말고
즐거이 하는 것에 주목해
내용을 보지 말고
어떻게 하는지를 봐

큰 눈과 올라간 입꼬리와
즐겨 임하는 자세가 보이는가?

정성을 쏟을 수 있는 것이면 O.K.
내용도 형식도 중요하지 않지
온 자발성이라면

껍데기는 가라, 알맹이도 가라
즐겨 스스로 임할 수 없다면

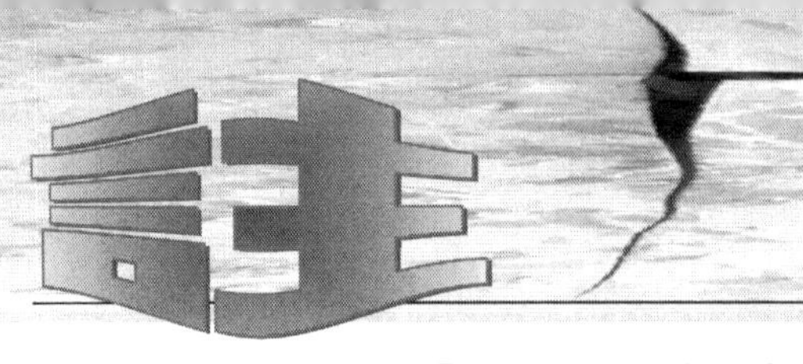

1 꼭 콘텐츠로 대답할 필요 없다. 알맹이는 중요하지 않음으로. 프레임 보다, 콘텐츠보다 더 중요한 것 때문이다.

2 가능성과 완성의 별別 이분법이다. 하나로 묶이는 이분법이다. 반대되지 않고 대칭되지 않는 이분법이다.

3 질투는 사랑의 결핍에 기인한다. 사랑하기 때문이 아니다.

4 한정된 나, 작은 나를 발견했다면, 틀린 나이이다.

5 오늘이 익숙해도 오늘 태어난 낯선 자로서 오늘을 살지어다.

6 아무도 주목하지 않는 것이 가장 튄다.

7 빅뱅과 빅뱅 사이에서 시간은 활동한다. 우주의 크기를 변화시키는 활동을.

8 삶은 회귀의 여정이다.

9 다음에 또 태어난다면 다른 위치 관계로 다시 만날 것이다.

10 세상에 얻을 것 하나 없고, 보충해 줄 것만 있다. 방향이 그러하다.

11 시간이 없다면 남는 건 현재성밖에 없다.

12 네게서 하나, 내게서 하나, 이 두 손이 한 사람의 두 손보다 강력하다.

13 제때 선택 후 결과를 체크하지 않아도 된다. 결과는 나의 것이 아니기 때문이다.

14 시작이 없는 것은 끝도 없다.

15 헌 운명과 나의 운명은 새 운명과 우리의 운명으로 전진한다.

16 늦잠을 통해서 주기를 내가 정한다. 한 달을 축약하고 지구에게 통보한다.

17 쫄딱 제로로 된다 해도 모든 준비성에 무서울 것 없다.

18 상상하지 못한 게 이뤄져서 나의 초라한 상상은 별 볼 일 없게 된다.

19 누구 하나 먹고 꿂은 배를 채운다.

20 자신의 원보다 더 중요한 것에 붙잡혀 다행히 원은 이루어지지 않는다.

21 차이를 차별하지 않는 최신 문명은 현대가 낳은 가장 큰 자산이다.

22 하고 싶은 것 다 하는 것이 자유가 아니다.

23 자연의 순리는 음과 양의 향연에 있다. 서로서로 싸우기도 하지만 없으면 죽고 못 산다.

24 바깥 온도보다 내가 알아서 만드는 체온이 관건이다.

25 마지막에 새 시작이 대기 중이다. 그때 한 계단 올라가는 진화를 한다.

26 실패는 데이터를 남긴다. 데이터를 못 이용하면 참사 중

의 참사.

27 제한된 꿈을 꾸느니 그보다 더 향상된 기적을 기획, 대체 조달한다.

28 깨달음 후 중요하다고 여겼던 의미들이 사라지고 죽음을 여의게 된다. 인과의 카르마 영향에서도 벗어난다.

29 천국에 살면서 원할 때 지옥을 방문할 수 없다면 천국일까?

30 광주리 행상하는 어머니, 당신은 초인입니다.

31 결과가 원인으로 다시 전환되는 시간이 금방이라 결과는 별로 중요하지 않다.

32 며칠밖에 살지 못한 아가의 목소리는 슬프지 않았다.

33 희망이 차단하고 가리고 있는 게 많다. 없어도 좋은 경우가 일반적이다.

34 뚜껑이 잘 안 열리더라도 미지의 발견엔 지장이 없다.

35 사랑 안에 폭력이 있는 경우가 정말 많다. 사랑 아닌 사랑 정말 많다.

36 같은 엄마 밑에서 반대되는 자식들이 태어난다. 반대되는 자들, 알고 보니 형제지간이다.

37 우리는 한계적 산물이면서, 동시에 신의 자식이다.

38 농약 칠 때 부르는 일종의 농요이다.

39 본인의 시대성, 공간성을 초월하면 원인으로서의 역할을

할 수 있다.

40 본연의 완전성을 의식한 자는 위닝을 원하지 않는 루저로서 인생을 산다. 완전성의 의식에서부터 성공했기에 위닝을 바랄 필요가 없다.

41 인생은 맞바꿈이다. 큰 것을 줘야지만 크게 받을 수 있다.

42 행복을 거부하면 슬픔은 찾아올 수 없다.

43 피해자이건만 자신을 성공인이라 자처하는 불행을 노래했다.

44 죽기 전 최선을 다하는 모습이다. 나의 장작을 마련해 놓고, 덤으로 밸런스도 제로로 만들어 놓고 다른 행성으로의 이동을 준비한다.

45 신통방통도 부조리의 일종이다. 신통방통을 좋아한다는 것은 부조리를 좋아한다는 것.

46 행복주의가 자유와 협상하여 성공한다. 행복주의에 손을 들어 주면서 자신은 구속된다.

47 자기를 감싸 보호하고 있는 것에서 탈피하여 날개를 가지고서 자유 비행한다.

48 걸맞춰 양쪽을 포함하지 못한다면 비대칭의 미를 이룰 차례이다.

49 외부요인에 의해서가 아닌 내적인 연유로 흔들릴 때, 민감한 사람이 흔들릴 때 시를 쓴다.

50 너와 나가 하나 되는 과정 중에 우리의 공통분모가 하나

라는 것을 안다. 공통분모는 제각각 출현하지만, 속성이 똑같다.

51 언제, 어디서, 지금 죽어도 상관없는 자, 성공인이다.

52 여기서 '세상을 여읜 신'은 나의 다른 한 부분이면서 동시에 나와 다름없다.

53 태어나자마자 죽을 때까지 명상한다.

54 이 세상에서 가장 커야 할 나의 그릇이 관건이다.

55 깨달음 후 탈피, 그 딴 사람이 나갈 때 줘 버린다. 그리고 순수해진다.

56 죽음이 탄생을 이끌어낼까? 탄생이 죽음을 이끌어낸다면 그러하다.

57 심리적으로 약한 사람은 좋은 것에 감정이 쏠리고 안달나 있다.

58 욕망은 순수하지 못하다. 남, 사회가 이미 방향을 정한 것에서 내 욕망이 발아한다.

59 마음보다 레벨 높은 것이 있는데, 그것이 나이다.

60 非 개성은 우리를 연결하고 원본을 찾게 해준다.

61 가장 신성한 곳을 향하는 것은 실패하지 못한다.

62 하나의 카르마를 모두 나눠 가지고 있어서 모두가 전체를 대표한다.

63 세상을 나로 만들어 나는 세상과 만나고 나를 만난다.

64 모든 정체성은 고정과 제한 때문에 위험하다.

65 개성이 없는 것은 문제가 아니다. 예쁜 색깔 가졌다가 특별한 감정이 일면 이게 문제이다.

66 나를 형용할 수 있는 형용사, 이 세상에 없다. 오는 형용사 족족 차 버린다. 존재 그 자체만으로도 감지덕지, 더 잘나고자 할 필요 없다.

67 나의 잘 난 부분 때문에 인생은 평범할 수 없지만 나의 잘 난 부분들을 드러내지 않고 기술적으로 평범한 사람으로 될 수 있다.

68 같은 강물에 두 번 들어갈 수 없듯이 강물은 같은 나를 두 번 만날 수 없다.

69 내 방에 나만 있다면 존재하지 않는 것이고, 내 방에 다른 생명체가 있다면 난 생명인 것.

70 도달할 수 없고 평생 과정만 하다 죽는 과정인이다.

71 우주여행이 아닌, 선명한 의식으로 시간을 늘린다.

72 막강한 파워를 가진 운전수, 나는 그 운전수를 운전한다.

73 반복의 이유는 자유가 없기 때문이다.

74 확률 게임에서 모든 참여자가 승자이다. 무엇이 나오든 확률의 승리다.

75 도를 듣기 전까지는 우아든동 최대 전압으로 살아 제끼야 한다.

76 놓아버린 자, 행복이라는 것이 오면 막지는 않겠지만, 추구하지는 않는다.

77 불필요한 것까지도 쌓고 모아 이 생애만으로 업보 감당이 다 안 된다.

78 혼자서는 절대 느낄 수 없는 것이 박탈감이다.

79 시체를 흙에게 공급하는 것으로 성에 안 찬다. '2배로 갚기' 원칙 때문이다.

80 내가 가진 한계에 도전하는 계기 중 하나는 질병이다.

81 고독은 일종의 단독 여행이다.

82 알면 알수록 놀랍고 흥미로운 것이 삶이다.

83 내가 꼭 내 꿈을 가질 필요 없다. 남의 꿈도 괜찮은 것 많다. 대신 이뤄주는 게 더 재미날지도.

84 아픔 자체가 고통을 주지 않는다. 고통 없이 잘 아프면 최고.

85 지성과 감성이 싸우면 똘똘이는 진다.

86 목숨과 삶은 거리가 있다. 영어는 똑같은 Life이지만 다행히 국어는 다르다.

87 과거가 발목 잡고 있는 이유는 미래 계획의 부재에 의한다.

88 일반적인 것은 문제 해결의 단서를 제공하기 어려우므로 특수 인들이 뒷감당, 뒤처리를 책임진다.

89 미래를 틀에 가두면 자연사가 아닌 목 졸려 죽는다.

90 누가 더 신비로운가 대결을 나와 인생이 벌인다.

91 신이 된 자, 감당할 게 많다. 어깨가 무겁지만, 역할이 역할인지라 할 만하다.

92 고정된 사이클을 열어 주어야 말려들지 않고 맞먹을 수 있다.

93 삶이 그대를 속이는 경우보다 반대인 경우가 사실 많다.

94 들어오는 돈을 감당할 수 없지만, 그 범위 안에서 난 걸맞은 이상향을 만든다.

95 인생은 선택에 의해 좌우된다. 선택의 여지가 있는 것이 인생의 단점이라면 단점이다.

96 찾아 나선다고 해서 불가능한 것들을 향해 헛발질하지 않기를.

97 너와 나 사이의 것을 치우고 연결될 때 공감이 가능하다.

98 무의식은 덜 민감케 하고 교감의 힘을 떨어뜨린다.

99 차이와 정도의 변화치로 우리는 A와 B로 나눈다. 원래 하나인 것을.

100 껍데기도 물론 알맹이도 중요하지 않다.